Burckhard Mönter en Christine Faltermayr

Over kevers, wormen
en wat er verder leeft
onder je voeten

CYCLONE

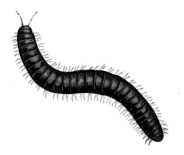

ISBN 90 5878 042 2

NUR 223

Oorspronkelijke titel: Was ist da unten los?
Tekst: Burckhard Mönter
Illustraties: Christine Faltermayr
© 2001 Kunderbuchverlag Luzern
© 2002 Patmos Verlag GmbH & Co. KG, Düsseldorf
© 2005 Nederlandse uitgave: Cyclone boekproducties, Thorn-Enkhuizen
Nederlandse vertaling: Jaap-Wim van der Horst.
Verspreiding in België: C. de Vries-Brouwers bvba, Antwerpen

Inhoud

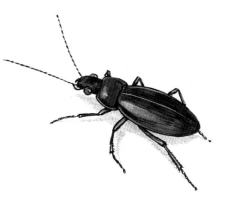

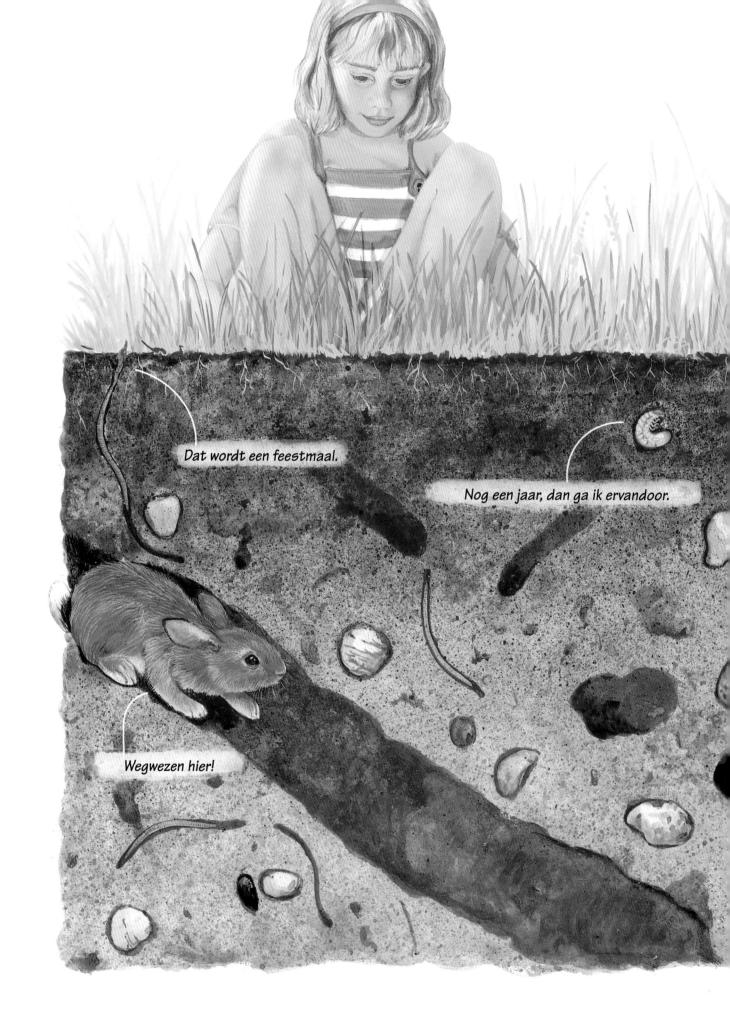

Te gek! Een hotdog.

Hé, laat wat over voor ons.

We hebben een extra kamer nodig.

De wereld onder je voeten!

De bodem, woonplaats van veel dieren

De vos graaft een nieuw hol. Vossen gebruiken hun hol als kraamkamer voor hun jongen.

Aardhommels maken hun nest in de grond. Vaak gebruiken ze daarvoor een verlaten muizennest. Uit de honingraat kruipen de larven tevoorschijn, die daarna ondergronds veranderen in kleine hommels.

De veldmuis heeft jongen gekregen. Bij muizen gaan de voorraadkamer en de kinderkamer in elkaar over.

De relmuis slaapt zeven maanden in zijn hol. Niet zo gek dat hij ook wel zevenslaper wordt genoemd. Veel dieren die in de winter onvoldoende voedsel kunnen vinden, houden een winterslaap, veilig verborgen in de grond.

Konijnen zijn voorzichtige dieren: ze leggen meerdere gangen aan naar hun hol, zodat ze bij gevaar snel kunnen vluchten. Ze richten één kamer in voor hun jongen: op de bodem maken ze een bedje van gras.

Het eekhoorntje verstopt eikels, beuken-
nootjes en hazelnoten in de grond... en
vergeet zijn verstoplaatsen vaak! Zo 'plant'
het dier de nieuwe bomen waarvan hij de
noten en zaden zo lekker vindt.

Slakken graven gaten in de grond waarin ze
heel veel eitjes leggen. Na een maand kruipen
de jongen naar boven. Ze zijn dan nog heel
klein en hebben bijna doorzichtige huisjes.

Krekels, sprinkhanen, meikevers en andere
insecten leggen hun eitjes in de grond. Daaruit
ontwikkelen zich larven of engerlingen. Er zijn
soorten die pas na een paar jaar voor het eerst
daglicht zien.

Regenwormen brengen hun hele leven onder
de grond door. Ze graven tunnels om zich te
verplaatsen...

De aarde is niet alleen een dikke laag grond
waarop wij kunnen rondlopen, fietsen,
huizen bouwen en schatten verbergen.
Het is ook een plek waar dieren leven, zich
verbergen, lekker uitrusten, bescherming
zoeken tegen de kou, hun jongen ter wereld
brengen en daarna grootbrengen en hun
voorraden aanleggen.

Ook mollen blijven vrijwel hun hele leven
onder de grond. Je krijgt ze bijna nooit te zien.

Het leven onder je voeten

Als je in de tuin, het park of het bos het groen voorzichtig een beetje aan de kant schept, krioelt het van de diertjes op en in de grond. Echt waar, de aarde onder onze voeten zit boordevol met leven! Ben je nieuwsgierig en wil je meer weten? Ga dan mee op expeditie naar de diepte.

Grond met bodemleven

Het is niet zo moeilijk om een stukje 'levende bodem' te vinden. Natuurlijk zijn heel veel plaatsen bedekt met asfalt, beton en gebouwen. Maar ook in de stad kun je in je tuin, bij bomen, een groenstrook of in een park wel een geschikt plekje vinden. En hoe kun je zien of de plek die je gevonden hebt uit levende bodem bestaat? Heel eenvoudig. Goede bodemgrond is los, korrelig en geurig.

De diepte in...

Wanneer je de grond voorzichtig laag voor laag wegschept en goed oplet, zul je allerlei dieren tussen de korrels vandaan zien kruipen. Ze blijven niet stilzitten, maar zoeken meteen een nieuwe schuilplek. Regenwormen graven zich snel weer in. Kevers, spinnen en duizendpoten gaan er als een gek vandoor. En insectenlarven strekken zich even, maar rollen zich daarna weer op.

Al deze diertjes leven in de bovenste grondlaag. Ze vinden er bescherming tegen vijanden. Het is er vochtig en donker, precies wat ze fijn vinden. De springstaart, die je op bladzijde 11 kunt zien, is een echte wereldkampioen verspringen. Hij trekt zijn lijf samen, zet dan uit als een gespannen veer en springt zo een heel eind weg om aan zijn vijand te ontkomen.

Pissebedden hebben weer een heel andere tactiek: ze veranderen zichzelf in een kogeltje en rollen dan steeds verder de diepte in.

En hoewel de diertjes waarover we het hier hebben maar heel klein zijn, zou je ze toch de olifanten onder de bodemdieren kunnen noemen...

9

Hoe dieper hoe kleiner

Hoe dieper we onder de grond kijken, hoe kleiner de diertjes die er leven. De bodem is er vaster en tussen de grondkorrels is dus minder ruimte. Toch leven er ook hier een heleboel dieren: borstelwormen, mijten, draadwormen en raderdiertjes. En het kan nog een stuk kleiner. Er zijn diertjes die leven in kleine waterblaasjes onder de grond: zweep- en wimperdiertjes en zwemmende amoeben leven in deze natte minihuisjes tussen de zandkorrels. Als je honderd van die diertjes achter elkaar zou leggen, is hun lengte samen nog minder dan de dikte van een vingernagel, minder dan een millimeter! En dan zijn het nog niet eens de allerkleinste aardbewoners. In nog kleinere ruimtes kun je algen, bacteriën en schimmels vinden.

Ontelbaar veel dieren...

- *In een stukje weidegrond van één vierkante meter kunnen wel 100 tot 200 regenwormen, 250 slakken, 500 spinnen, 1000 duizendpoten, 2000 borstelwormen, 50.000 kleine insecten en meer dan 10.000.000 draadwormen leven.*
- *In een beetje aarde, zo groot als het topje van je vinger, leven meer dieren dan er mensen op de wereld zijn.*
- *Alle dieren in de grond wegen vijftig keer zo veel als alle mensen en dieren die boven de grond leven.*

Op expeditie naar de ondergrondse wereld

Je hebt nodig: *Een klein schepje of een lepel, een doos met een deksel, een wit plastic bekertje, een fijn penseeltje en een loep of vergrootglas.*
Zo doe je het: *Schep een beetje aarde in de doos. en doe het deksel erop: zo blijft het voor de bodemdieren lekker donker, koel en vochtig. Dat is belangrijk, want bodemdieren zijn niet zoals wij gewend aan licht en droogte. Voor je het weet zijn ze er geweest!*

Doe wat aarde op de lepel en borstel nu heel voorzichtig met het penseel de bodemdiertjes in de beker.

Een yoghurtbeker is hiervoor heel geschikt, op de witte bodem kun je de dieren heel goed zien. Door het vergrootglas kun je ze nog beter bekijken. Blijf niet te lang kijken, want dan gaan de diertjes dood! Doe ze weer terug in de doos met aarde en strooi die later voorzichtig leeg op de plek waar je de aarde verzameld hebt. Strooi er daarna nog een beetje extra aarde overheen.

Springstaart

Pseudo-schorpioen

Vliegenlarve

Mijt

Mier

Duizendpoot

Naakt-slak

Pissebed

Loopkever

Wolfspin

Steenkruiper

Engerling

Slakkeneieren

Oorworm

Regenworm

Miljoenpoot

Hooiwagen

Specialisten in de diepte

Zonder al die kleine diertjes onder de grond zou er boven de grond geen leven zijn. De kleintjes hebben namelijk een heel belangrijke taak: ze maken van dode planten en dieren weer stoffen die planten en bomen nodig hebben om te groeien.

In de herfst vallen de bladeren van de bomen. Op de grond ontstaat een dikke laag bladafval, die gelukkig na een poosje weer verdwijnt. Worden de bladeren opgegeten door de dieren? Worden ze weggeblazen door de wind? Waar blijven die ontelbare afgevallen bladeren eigenlijk?

Hoeveel bladeren vallen er van een boom?

Aan een beuk van ongeveer tien meter hoog groeien meer dan 200.000 bladeren. Als elk blad vijf centimeter lang is en je legt ze achter elkaar, dan krijg je een bladeren-ketting van meer dan tien kilometer! Al die dode bladeren samen zorgen voor een enorme berg bladafval.

Drie lagen bladeren

Wanneer je de bodem van een loofbos onder-
zoekt, dan vind je drie lagen bladeren die
duidelijk van elkaar verschillen.

Bovenop vind je de laag met verse, net gevallen
bladeren, waarin de vraatsporen van insecten
goed te zien zijn.

De laag daaronder is al voor een deel vergaan.
Hij ligt er een jaar of langer. Hierin overwinteren
de larven van insecten.

Nog dieper kom je bij een kruimelige laag blad-
resten. De bodemdieren hebben de bladeren in
deze laag fijngemaakt. Via hun wortels halen
planten en bomen hier hun voedsel vandaan.

Wat is mineraliseren?

Wanneer bladeren en andere plantendelen helemaal worden afgebroken, dan noemen we dat
ook wel 'mineraliseren'.

Minerale zouten spelen in de natuur een belangrijke rol. Ze lossen op in water en zijn het voedsel
voor alle planten en bomen. Ze komen uit ge-
steente en worden door water vervoerd.

Ze komen ook vrij wanneer dieren hun voedsel
verteren en uitpoepen. Bij het verteren valt het
eten steeds verder uit elkaar. Tot het weer is
teruggebracht tot de oorspronkelijke onder-
delen, die dan weer opnieuw gebruikt kunnen
worden.

Vergelijk het maar met een legobouwwerk. Als je
er iets anders van wilt maken, moet je het eerst
helemaal uit elkaar halen.

Een pracht van een blad

*Zoek eens enkele bladeren die al een tijdje
op de grond of in het water hebben gelegen.
Om de bladeren niet te beschadigen, kun je
ze het beste in een schaaltje water leggen en
ze onder water van elkaar halen. Als je één
blad over hebt, zie je pas goed hoe mooi
het is. Nadat het bladgroen is verteerd, blijven de nerven (het geraamte van het blad)
over: het blad lijkt wel een beetje op de
plattegrond van een stad. Leg eens een blad
of een stukje ervan, tussen een diaraampje
en projecteer het op een wit scherm. Je kunt
het blad ook met de overheadprojector op
school op de muur van de klas projecteren.*

Het verhaal van een blad

Een blad valt van een boom en belandt op de grond. Het lijkt nu op afval. Dat denk je! Want eigenlijk begint het verhaal nu pas echt. Eerst nestelen schimmels en bacteriën zich op het blad. Ze eten van de harde huid van het blad.

Daarna komen de springstaarten en de mijten, die gaten in het blad knabbelen. Bladluizen en larven van roofvliegen en andere insecten smullen er nog verder van.

Wat er dan nog over is van het blad dient als voedsel voor nog kleinere wezentjes in de bodem, zoals amoeben. Al die diertjes hebben hun eigen specialiteit bij het ontleden (het weer uit elkaar peuteren) van het blad. Dat ontleden doen ze eenvoudigweg door zichzelf vol te vreten!

En wie dingen opvreet, poept de resten uit. Van de poep leven weer andere beestjes, zoals draadwormen.

Voor de afwisseling peuzelen draadwormen ook wel eens bacteriën op.

Mijten lusten weer graag draadwormen. Het is een grote ondergrondse eetpartij van eten of gegeten worden! Aan het einde van het feestmaal is het blad, waarmee het allemaal begon, verdwenen.

De regenworm

In een weiland of thuis op het gazon zie je soms opgerolde bladeren loodrecht in de grond steken alsof het geheime tekens zijn. Wie heeft die bladeren daar neergezet? Om achter dit geheim te komen moet je 's nachts, zonder geluid te maken, met een zaklamp op het gras schijnen.

Als het donker is, komen regenwormen namelijk uit hun gangen onder de grond om naar verdorde bladeren te zoeken. Ze trekken de bladeren hun gangetjes in, waarbij ze ze oprollen. Maar vaak blijven de bladeren aan het begin van een gang steken.

Nu krijgen de wormen hulp van bacteriën. Ze beginnen met het slopen van de bladeren. Die worden steeds dunner en lichter, zodat de wormen ze makkelijk onder de grond kunnen trekken. Overal waar planten niet te diep groeiende wortels hebben, zoals in weilanden, gazons en parken, leven regenwormen in de vochtige, koele bodem. Ze kunnen dankzij lichtgevoelige cellen in hun huid het verschil tussen licht en donker onderscheiden. Dat is enorm belangrijk voor wormen, omdat ze daglicht slecht kunnen verdragen.

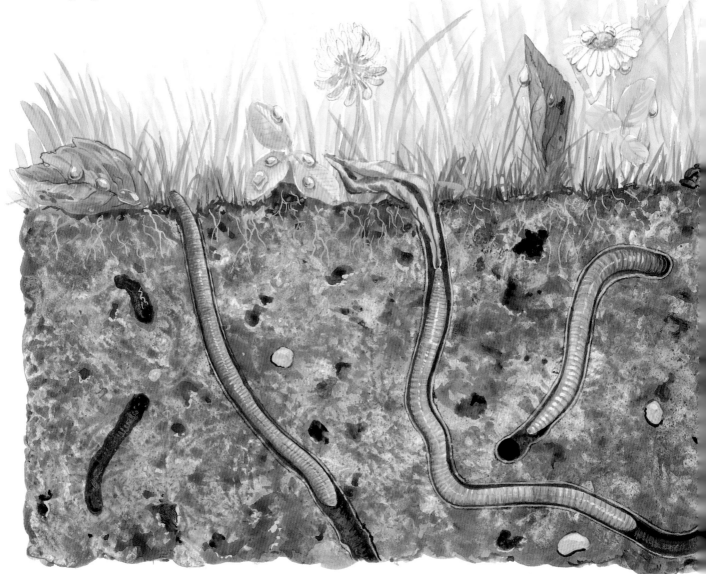

In het felle licht van de zon zwellen ze op en na korte tijd gaan ze dood.

De binnenkant van hun tunnels bedekken regenwormen met slijm. Daardoor glijden ze er makkelijk doorheen en raken ze bij het kruipen niet gewond. De huid van regenwormen is altijd vochtig en glimt een beetje. Ademen doen regenwormen ook door hun huid. Daarom zijn warmte en droogte zo gevaarlijk voor hen: als een worm uitdroogt, kan hij niet ademen of bewegen.

Met hun gladde, vochtige huid zijn regenwormen ook bijzonder gevoelig voor stevig vastpakken.

De regenworm: een zwaargewicht

De regenworm kan het wat zijn gewicht betreft opnemen tegen de grootste beesten die bovengronds leven. Denk eens aan een weiland vol koeien. Heb je dat? Nou, alle regenwormen die onder het gras van dat weiland leven, zijn samen veel zwaarder dan alle erop grazende koeien.

Maar ook ondergronds zijn de regenwormen zwaargewichten: de wormen zijn samen ook zwaarder dan alle andere dieren die onder datzelfde weiland leven.

Een dag uit het leven van een regenworm

In de nacht gaat een regenworm een stukje buiten zijn gang op zoek naar afgevallen blad. Dat is niet zonder gevaar want 's nachts gaan andere dieren zoals egels, padden, kikkers en hagedissen op zoek naar een malse worm...
De worm probeert met het achterste deel van zijn lijf in de gang te blijven, zodat hij bij gevaar snel weer kan onderduiken in de veilige bodem. Hij rekt zich helemaal uit en als hij een blad gevonden heeft, pakt hij het in zijn bek en trekt het zijn gang in. Wanneer de bacteriën hun werk hebben gedaan, is het restant een echt feestmaal voor de regenworm.

De hele dag door graaft de regenworm nieuwe gangen in de aarde. Daar wordt de grond luchtig van. Tijdens het graven krijgt de worm ook kleine steentjes binnen. Die kan hij heel goed gebruiken! Een regenworm heeft namelijk geen tanden en kiezen om de afgevallen bladeren mee te vermalen. Dankzij de steentjes in de wormenmaag en -darm kunnen de plantenresten toch weer kleiner worden gemaakt, zodat het dier zijn voedsel kan verteren.

Wat de worm niet gebruiken kan, poept hij uit. Hij poept niet in zijn eigen gangetjes: dan raakt de boel verstopt. Als een worm moet poepen, steekt hij zijn achterlijf boven de grond en legt daar een krullerige wormendrol.

Het gangenstelsel van de regenwormen is ook voor andere dieren belangrijk. Door de gangen komt er frisse lucht in de bodem. Ook plantenwortels kiezen vaak de gangetjes van wormen, omdat ze daarin makkelijker kunnen groeien. Helaas voor de worm maakt ook zijn grootste vijand, de mol, gebruik van z'n gangen. Wanneer een mol tijdens zijn graafwerk een wormengang tegenkomt, volgt hij die op zoek naar een lekker maaltje. Gelukkig graaft de regenworm een uitgebreid gangenstelsel onder de grond, zodat de mol vaak zonder eten verder moet.

Met zijn huid kan de regenworm waarnemen of het regent. Hij voelt het tikken van de regendruppels op het aardoppervlak. Als het regent is de worm in gevaar; want als door het water zijn gangen vollopen kan hij verdrinken. Dus bij regen, gaat de worm snel naar boven.

Een andere eigenschap van de regenworm is dat hij ook achteruit door zijn gangen kan kruipen. Dat moet ook wel, want er is geen ruimte om te keren. Als een worm achteruit wil, duwt hij zijn achterlijf de gang in, maakt het dik en klemt het met de kleine borsteltjes op zijn lijf vast tegen de gangwand. Daarna trekt hij zijn voorlijf naar het achterlijf toe, zet het vast en strekt zijn achterlijf verder de gang in. Op die manier gaat een worm naar de oppervlakte, bijvoorbeeld als het regent of als hij zijn behoefte moet doen.

Andere dieren zitten te wachten tot de regenworm een stukje uit de grond komt. Vogels bijvoorbeeld, die hem met hun snavel grijpen en proberen om hem uit de grond te trekken. Natuurlijk verzet de worm zich. Hij schiet snel terug de grond in en zet zich vast in het gangetje. Wanneer de vogel blijft trekken, kan alleen het achterlijf van de worm losgerukt worden. De vogel heeft nu een half maaltje... en de worm kan verder leven: zijn kop zat nog in de grond en zijn achterlijf zal weer aangroeien!

Regenwormmest

De poep van regenwormen is heel goed voor de grond. Die wordt er ontzettend vruchtbaar van. Je kunt regenwormmest bijvoorbeeld goed gebruiken voor potplanten in huis.

In het voorjaar vallen de regenwormen extra op doordat ze een dikke, oranjekleurige gordel om hun lijf hebben. Deze verdikking heet ook wel het 'zadel'. In het zadel zitten de eitjes van de worm, die later gelegd worden.

Maar waarom heeft het zadel nou zo'n opvallende kleur? In het zadel zit ook een giftige stof, waar vogels flink beroerd van worden als ze die binnenkrijgen. De oranje kleur is dus een waarschuwing voor de vogels om uit de buurt te blijven en de worm met rust te laten. En tegelijkertijd is het dan veiliger voor de wormen zelf.

Slimmer dan een regenworm

Vogels, en vooral merels, hebben een speciale truc om regenwormen naar boven te lokken. Ze trippelen over de grond heen en weer, waardoor het net lijkt alsof het regent. De wormen schrikken ervan, kruipen snel omhoog... en worden dan opgevreten!

Deze truc kun je zelf ook een keer uitproberen. Steek een lepel of een liniaal in de grond en tik er zachtjes met je vingers op. Voor een worm voelt het nu aan als het getik van de regen en hij zal snel een kijkje aan de oppervlakte komen nemen.

Het lawaai van een regenworm

Als je een regenworm op een vel niet al te glad, maar wel stevig papier zet, kun je horen hoeveel lawaai het diertje maakt! Hou het papier met de worm erop vlak bij je oor. Nu kun je horen hoe de borsteltjes op zijn huid over het ruwe papier krassen. Als je met een loep naar de worm kijkt, kun je de borsteltjes ook goed zien. Laat het niet te lang duren; breng de regenworm zo snel mogelijk weer terug naar de tuin.

Planten hebben het bodemleven nodig

De dieren in en op de aarde leven van bladeren en andere plantendelen. Wij eten planten als groente, salade en fruit. Maar waar leven de planten dan van? Waar haalt een boom zijn bouwmateriaal vandaan om steeds maar weer nieuwe bladeren te laten groeien?

De oplossing vind je in de bodem. De nietige wezentjes in de bodem ontleden daar de restanten van planten en dieren in stoffen die in water oplossen: zouten. Deze zouten zijn de voedingsstoffen voor planten. Ze worden via hun wortels uit de grond gehaald, samen met het water.

Afgevallen bladeren zijn het voedsel voor de bodemdieren, en hun afval is weer de voeding voor planten. Een perfecte kringloop: alles wordt opnieuw gebruikt.

Tafeltje-dek-je zonder bodem?

De bodem is niet alleen belangrijk voor de dieren die erin leven, maar ook voor ons. Bijna alles wat we eten komt uit de bodem vandaan. Zonder de bodem kunnen we geen brood bakken, want graan heeft aarde nodig om te groeien. Ook jam en andere zoetigheid zouden we moeten missen.

Bomen en struiken hebben immers de voedingsstoffen uit de grond nodig om hun vruchten te laten groeien.

Suiker komt uit riet of uit bieten. Die bieten groeien, net als aardappels, in de grond. Stel je eens voor: zonder aarde zou je nooit gebakken friet kunnen eten. De bodem is echt de basis voor ons leven.

Wat is afval nu precies?

Om te ontdekken welke spullen de dieren in de grond kunnen omzetten in nuttige stoffen, is het volgende proefje bedoeld. Begraaf een stuk papier, een slablad, een broodzakje, wegwerp-bestek, een klokhuis van een appel, een blikje of wat je verder bedenken kunt. Na een week graaf je alles weer op. Welke spullen zijn ver-anderd en welke zijn nog precies hetzelfde? De spulletjes die door de dieren verteerd zijn, noem je organisch materiaal.

Wat er nog net zo uit ziet als toen je het be-groef, is onverteerbaar: de bodemdieren heb-ben er helemaal niets aan. Zo gaat dat met de dingen die we weggooien. Het afval blijft liggen waar het ligt en dat is slecht voor het milieu.

Compost is het resultaat van teamwerk

Wanneer je met de dieren in de grond samenwerkt, wordt van het groente- en tuin-afval goede, voedzame grond (humus) ge-maakt voor planten. En zo moeilijk is dat niet.

Je kunt in de tuin of op het balkon een com-postbak of composthoop aanleggen. Hierin gooi je bijvoorbeeld afgevallen bladeren, ge-maaid gras, afgedankte kamerplanten, onge-kookte restjes groente en fruitresten. Nu kun-nen de bodemdiertjes aan de slag.

Alles wat ze nodig hebben is:
- *Lucht: als je het organische materiaal niet al te stevig opstapelt, kan de lucht er goed doorheen.*
- *Water: besproei de compostbak voorzich-tig; hij moet vochtig, maar niet kletsnat zijn.*
- *Warmte: bouw de compostbak op een plek uit de wind, dan koelt hij niet te snel af.*
- *Contact met de bodem: de bodemdiertjes moeten natuurlijk wel naar binnen kunnen. Als je compost in een bak op het balkon maakt, zorg dan dat er onderin een dikke laag aarde zit.*

Na ongeveer een half jaar kun je de eerste humus van je compostbak gebruiken als extra voedzame grond of als plantenmest.

Water en lucht onder de grond

Als het regent zakt het water in de grond. Het vult de ruimtes tussen de korreltjes zand, lost de voedingsstoffen voor de planten op en wordt daarna door de wortels van bomen en planten opgezogen. De grond kan het water ook een tijdje opslaan. Op die manier overleven planten in droge tijden.

Wanneer het zakkende water in de grond op een ondoordringbare laag stuit, zoals klei of leem, dan verzamelt het zich daar. Er ontstaat een laag grondwater. Dit water dringt zich tussen de bodemdeeltjes door en stroomt heel langzaam verder over de ondoordringbare laag. Zodra het stromende water aan de oppervlakte komt, borrelt het uit de grond: zo ontstaat een bron. Een bron is het begin van een beekje, dat weer kan uitgroeien tot een machtige rivier.

Wanneer je boven zo'n ondoordringbare laag een gat in de grond boort, dan komt er onder in het gat een laag water te staan. Uit zo'n gat of put kan je het water omhoog pompen. Vaak is het door de grond al zo goed gefilterd, dat er helder en schoon water omhoog komt, dat goed te drinken is.

In Nederland pompten vroeger de waterleidingbedrijven in de duinen ons drinkwater op. Het water hoefde daarna niet eens helemaal gezuiverd te worden, voordat het naar huizen en bedrijven ging.

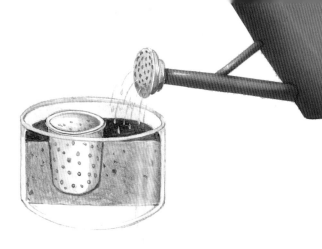

De grond ademt

Goede grond lijkt wel wat op een spons. In de ruimtes tussen de gronddeeltjes zit niet alleen water, maar ook lucht. Dat is van het grootste belang voor de piepkleine bodemdiertjes en de plantenwortels, die net als wij ook lucht nodig hebben om te ademen.

Dit ademhalen onder de grond lukt alleen als de bodem luchtig en doorlatend is. Wanneer in bossen of op weilanden door zwaar werkverkeer de bodem samengeperst wordt, verdwijnen de ruimtes. De aarde kan niet meer ademen en geen water meer opnemen.

Overal waar straten, parkeerplaatsen, huizen, winkelcentra, fabrieken, vliegvelden enzovoort worden gebouwd, wordt een soort enorme deksel op de aarde gelegd, waar geen lucht en water meer doorheen kunnen. Er is geen lucht voor de bodemdieren en het water kan niet opgenomen worden.

Daardoor wordt het wegstromende grondwater niet meer aangevuld; de bodem droogt uit. Deze afsluiting verstoort de samenwerking van de bodem met lucht, water en bodemdiertjes.

Als we niet opletten, zitten we voor we het goed en wel weten op te droge grond.

Een minibron

Dit heb je nodig: *een grote glazen pot, schaal of een klein aquarium, een plastic bekertje (bijvoorbeeld van yoghurt), zand, water*

Zo doe je het: *Maak eerst gaatjes in de plastic beker, bijvoorbeeld met een spijker die je in een tang geklemd in een kaarsvlam verhit. (Pas op dat je geen brandwonden oploopt!)*

Doe een bodempje zand in de pot, de schaal of het aquarium. Zet de plastic beker erop en giet de rest van het zand om de beker heen, ongeveer tot de rand.

Vul een gieter met water en laat het 'regenen op de aarde'. Je kunt zien hoe er langzaam een laag grondwater ontstaat: het water kan niet door de glazen bodem heen. Hoe meer water er door het zand zakt, hoe hoger de waterstand wordt. Na een tijdje zie je dat er ook onder in de beker water komt te staan: dat is dan jouw minibron.

Wat is eigenlijk grond?

Grond kan kruimelig of blubberig zijn en allerlei verschillende kleuren hebben. Hij kan ruiken naar het bos of naar paddestoelen, naar rottende bladeren, of gewoon verschrikkelijk stinken. Er kunnen kleine steentjes in zitten of grote keien. Wat is grond nu precies?

Als je een handje aarde neemt en je kunt het oprollen alsof je een deegrolletje maakt, dan zit er leem of klei in. Lukt het helemaal niet om er een rolletje van te maken en vallen de korrels zo uit je hand, dan heb je alleen maar zand.

Bodemonderzoek

Dit heb je nodig: *een glazen pot met een deksel.*

Zo doe je het: *Vul de pot voor eenderde met de grond die je wilt onderzoeken. Neem allerlei verschillende soorten grond: zand, veengrond, kleigrond en grond met steentjes erin. Vul de rest van de pot met water, draai de deksel erop en schud een tijdje flink. Je kunt zien dat de verschillende grondsoorten door elkaar in het water zwemmen. Zet de pot nu op tafel en kijk wat er gebeurt.*

Je zult zien dat de steentjes als eerste naar beneden zakken. Daarop komt een laagje slib. Nog hoger zie je dat het water allerlei verschillende kleuren krijgt: elke grondsoort heeft z'n eigen kleur. Boven in het potje zie je restjes van planten drijven.

Dit is maar één proefje. Je kunt ook onderzoeken hoe grond aanvoelt.

Probeer later de verschillende grondsoorten te herkennen, zonder ernaar te kijken - je mag alleen ruiken en voelen.

Bosgrond
De kleur is bruin en een beetje zwart.
De grond voelt boven nog al kruimelig aan, verder om-laag voelt het wat kleverig. Er zitten stukjes blad, wortels en kleine takjes in.
De grond ruikt naar het bos.

Grond kan heel verschillend zijn. Hij is rul of kleverig, luchtig of vast. Zandgrond bestaat uit piepkleine steentjes, bosgrond uit bruine aarde en nog veel meer bestanddelen. Zware grond bevat klei. In grond uit diepere lagen van de aarde zitten steeds meer stenen.

Op plekken waar een heuvel wordt afgegraven, zoals bij een steengroeve, kun je verschillende grondlagen herkennen: helemaal onderaan een rotsachtige ondergrond, daarboven bruine aarde met enkele stenen.

Hoe hoger je komt hoe minder stenen je zult ontdekken. Helemaal bovenaan zie je een kruimelige, donkere laag. Alleen in deze laatste laag, die zo'n dertig centimeter dik is, kunnen planten groeien. Het is net alsof dit de huid van de aarde is. Waar komt die eigenlijk vandaan?

Hoe ontstaat grond?

Was de grond onder onze voeten er altijd al of wordt die gemaakt? Kan je aarde bereiden uit rotsen en stenen?

De natuur kan het! Het begint met zon, water en ijs: de samenwerking van deze drie factoren kan rotsen en stenen in kleinere stukjes breken. In de zomer brandt de zon op steen en verhit die aan de oppervlakte, terwijl de binnenkant nog koel blijft. Het buitenste laagje zet door de warmte een beetje uit, het binnenste van de steen niet.

De spanning tussen de buiten- en binnenkant zorgt ervoor dat de steen uit elkaar springt, of dat er scheuren en barsten ontstaan. Water gaat in de spleetjes zitten en wanneer het gaat vriezen, zet het bevroren water uit, waardoor de steen verder breekt. Op deze manier krijgen de weersomstandigheden, ook al duurt het miljoenen jaren, zelfs de allergrootste steen klein. Dat is langer dan we ons kunnen voorstellen, maar de aarde heeft alle tijd van de wereld! Het woord 'verweren' komt hiervandaan. Door het verweren van rotsen en stenen worden de bergen op aarde steeds een beetje kleiner. Dit noemen we met een mooi woord 'erosie'.

Maar er gebeurt nog meer. Vooral in de bergen kun je dat goed zien. Planten kunnen stenen in grond laten veranderen. De allereerste planten die op rotsen groeien zijn de korstmossen, zij tasten steen aan, halen de mineralen eruit en laten geheimzinnige sporen achter. Ook door de wind worden stof en plantenresten aangevoerd, die in scheuren en spleten achterblijven. Soms zitten er zaadjes bij, bijvoorbeeld van mos, die in zo'n spleetje kunnen ontkiemen. Het zaadje vindt er alles wat het nodig heeft: water, dat achterblijft na een regenbui; mineralen, die oplossen in het water; en natuurlijk voedsel uit planten- en dierenresten.

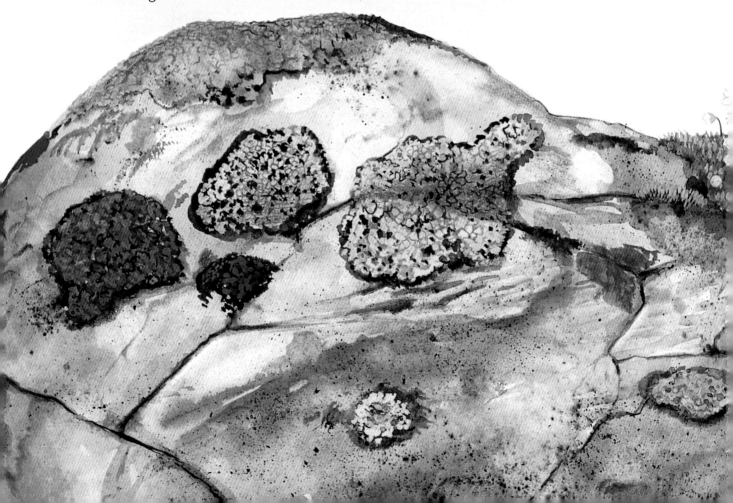

Mos groeit prima onder deze omstandig-
heden en maakt zelf zaadjes die door de wind
worden meegenomen. Op een zeker moment
sterft het mos weer af.

Nietige diertjes, die ook door de wind worden
aangevoerd, verteren de restanten van het mos
en zorgen zo weer voor voedingsstoffen voor
nieuwe planten. Later sterven die ook weer af
en er ontstaat humus, vruchtbare grond, waarop planten kunnen groeien en waarin bodemdiertjes het naar hun zin hebben. Er komen
steeds meer planten en dieren; daardoor groeit
de humuslaag.

De humus raakt verspreid over een steeds gro-
tere oppervlakte en mengt zich met kleine, ver-
weerde steentjes. Na duizenden en nog eens
duizenden jaren is er door het weer, de planten
en de dieren vruchtbare aarde ontstaan.

Stenen breken

*Wanneer je een steen met barsten erin in
water legt en hem daarna in de vriezer
stopt, bevriest het water in de steen. Het
water zet uit en de steen zal breken.
Een steen kan trouwens ook breken als je
hem plotseling verhit, bijvoorbeeld
wanneer je hem in kokend water
dompelt. Wil je dit proberen? Vraag dan
een volwassene je te helpen.*

Humus heeft tijd nodig

*Om een laagje van één centimeter humus
te maken hebben water, planten en bodemdieren ongeveer duizend jaar nodig.*

Planten zijn beresterk

Oerplanten, zoals de steenbreek, kunnen met
hun wortels rotsen in stukken breken.
Paardebloem en klein hoefblad kunnen het asfalt van een weg omhoogdrukken. Hoe kan het
dat planten zo sterk zijn? Het geheim zit in hun
wortels. Daarmee nemen ze water op. De cellen in de wortels zwellen op en de druk neemt
toe. Een heleboel cellen bij elkaar oefenen
meer kracht uit op de omgeving van de wortel
dan een drilboor.

Als de bodem in beweging komt...

De vruchtbare humus is een zeer kwetsbare bodemlaag. Water kan hem wegspoelen en de wind kan hem wegblazen. Maar planten beschermen de bodem. Ze houden de humuslaag met hun wortels vast en breken de wind met hun stengel en bladeren. Als het regent, vangen ze eerst de kracht van de regendruppels op. Langs hun bladeren druipt het water zachtjes op de aarde.

Het water dringt in de luchtige grond en vult de ruimtes tussen de bodemdeeltjes, waarna het rustig naar het grondwater doorsijpelt.

Wanneer bossen gerooid worden of bomen door luchtvervuiling ziek worden en afsterven, kunnen de wortels hun werk voor de humuslaag niet meer doen, net zo min als de bladeren het water rustig kunnen afvoeren.

Bij een zware regenbui stort er in korte tijd een grote hoeveelheid water op de kale bodem, die al dat water zo snel niet kan verwerken. In plaats van in de grond te zakken, stroomt het regenwater over de bodem. Het neemt de bovenste grondlaag met zich mee. Er ontstaat wateroverlast, waardoor zelfs rivieren buiten hun oevers kunnen treden.

In de bergen kunnen kale rotsen scheuren en omlaag storten. Tijdens hun val nemen ze nog meer grond en stenen met zich mee. Deze aardverschuivingen, gruis- en modderlawines zijn heel gevaarlijk; ze kunnen een enorme schade aanrichten.

Kleiner zijn de dagelijkse schades die ontstaan wanneer een paar bomen weg moeten voor de aanleg van een nieuwe weg. Of wanneer een stuk landbouwgrond met zware tractoren wordt bewerkt, waardoor de grond wordt samengeperst en geen water meer kan doorlaten. Het regenwater kan niet meer de grond in en kiest een andere route. Er ontstaan kleine geultjes. Met het water wordt dan ook de vruchtbare grond weggespoeld.

De onbeschermde bodem is een prooi voor de wind: die neemt de lichte, vruchtbare gronddeeltjes als stof met zich mee.

Dat gebeurt vooral wanneer de grond voor intensieve landbouw wordt gebruikt. Grote stukken grond worden dan met zware machines bewerkt en behandeld met bestrijdingsmiddelen tegen onkruid en schadelijke diertjes.

Dat gaat allemaal ten koste van de luchtige bovenlaag en de dieren die daarin leven.

Vaak worden in deze gebieden ook de bomen en struiken, die de wind een beetje kunnen tegenhouden, weggehaald. Na de oogst is de bodem uitgeput en overgeleverd aan de elementen: de zon en de wind. De bodem droogt helemaal uit en verbrokkelt tot stof, die door de wind wordt weggeblazen. Vruchtbare landbouwgrond gaat verloren.

Wonen onder de grond

Voor onze voorouders was de bodem iets wonderlijks. Uit de donkere grond kwamen op geheimzinnige wijze planten tevoorschijn die ze konden eten.

Als bescherming tegen de wind, regen en kou vonden mensen onderdak in grotten en holen. Een groot deel van hun leven brachten ze ondergronds door. Ze lieten daar hun sporen na: ze beschilderden de wanden van de grotten met gekleurde aarde, waarop zij zelf te zien waren, samen met de dieren waarop ze jaagden. Dankzij de 'prentenboeken' van toen weten wij nu beter hoe de eerste mensen leefden.

Later, toen onze verre voorouders in huizen gingen wonen, werden de doden begraven in de grond.

Wat gebeurt er met mensen en dieren die begraven worden? Hun lichamen verteren langzaam. Zo wordt het leven dat voorbij is, weer door de aarde opgenomen, opdat er nieuw leven kan ontstaan.

Bomen krijgen nieuwe bladeren, graan krijgt halmen. Groenten en fruit groeien uit de aarde, en daarvan kunnen mensen en dieren weer eten. Ook dat behoort tot de grote kringloop.

De mensen uit de oudheid begrepen het misschien niet allemaal, maar ze vereerden de bodem als schenkster van groei en vruchtbaarheid.

Overal op de wereld geloofden de mensen in de kracht van Moeder Aarde.

In het oude Egypte was Isis de aardgodin. Ook Rhea in Griekenland, Jord bij de Germanen en Pachamama bij de Inca's waren aardgodinnen. De aardgodin werd door iedereen voorgesteld als de moeder van al het leven op aarde. De mensen geloofden dat zij in spleten, grotten of gewoon onder de grond leefde.

Vanuit de diepte bracht zij nieuw leven, dat uiteindelijk ook weer naar haar terugkeerde. Zelfs nu spreken we nog steeds over Moeder Natuur.

Een mooie beeldspraak: als de aardbodem onze moeder is, dan zijn alle mensen, planten en dieren, haar kinderen!

Register